P9-BIS-632

目 录

神奇的空气

想一想，什么东西你看不见，但它天天围绕着你？什么东西让树枝在风中轻轻细语？什么东西把飞机托上了天空？

这几个问题的答案都是一个——空气。

什么是空气

张开双手跑起来吧，能跑多快就跑多快，空气划过了你的手指尖。

你虽然看不见空气，但是能感觉到它的存在。

令人敬畏 的空气

撰文 ［美］瑞纳·考博

绘画 ［美］布兰顿·雷贝灵

翻译 孙 健

山东科学技术出版社

图书在版编目（CIP）数据

令人敬畏的空气／撰文 [美] 瑞纳·考博；绘画 [美]
布兰顿·雷贝灵；翻译 孙健 .—济南：山东科学技术出
版社，2012

（神奇的科学系列丛书）

ISBN 978-7-5331-5842-2

I.①令 ... II.①瑞 ... ②布 ... ③孙 ... III.①常识
课—学前教育—教学参考资料 IV. ①G613.3

中国版本图书馆 CIP 数据核字（2012）第 001120 号

Awesome Air

Published by Magic Wagon, a division of the ABDO Publishing Group, 8000
West 78th Street, Edina, Minnesota, 55439.Copyright © 2008 by Abdo Consulting
Group, Inc. All rights reserved.

图字：15-2011-223

神奇的科学系列丛书
令人敬畏的空气

撰文　[美] 瑞纳·考博
绘画　[美] 布兰顿·雷贝灵
翻译　孙　健

出版者：山东科学技术出版社
地址：济南市玉函路 16 号
邮编：250002　电话：(0531)82098088
网址：www.lkj.com.cn
电子邮件：sdkj@sdpress.com.cn

发行者：山东科学技术出版社
地址：济南市玉函路 16 号
邮编：250002　电话：(0531)82098071

印刷者：济南鲁艺彩印有限公司
地址：济南工业北路182-1号
邮编：250101　电话：(0531)88888282

开本：889mm×889mm 1/16
印张：2
版次：2012 年 3 月第 1 版第 1 次印刷

ISBN　978-7-5331-5842-2
定价：9.80 元

空气的重量

空气是有重量的。我们的卧室里就有大约45千克的空气。

那么，你为什么没有感觉到空气的重量呢？

这是因为它从周围的各个方向均匀地压在你的身体上。

压在你身上的空气重量接近1吨。

空气动起来的时候，就形成了风。

风能把纸片吹得到处跑，还能吹得旗子呼啦啦地飘，它甚至还能推着天上的云走起来。

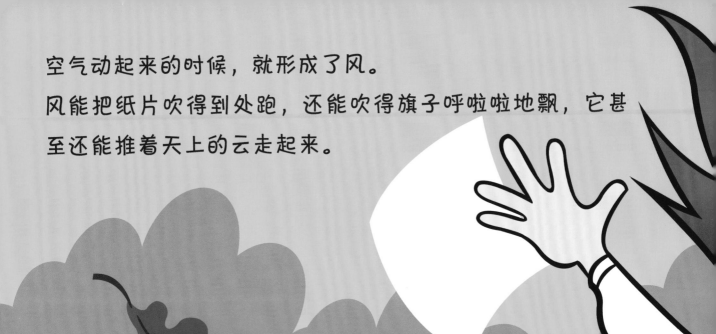

强烈的龙卷风可以吹翻小汽车、掀起房顶，甚至刮走一列火车。

空气对生命的意义

把双手放在胸前，深吸一口气，你感觉到了什么？
胸脯增高了，这是因为你的肺里面充满了空气。
空气中的氧气就这样进入了你的身体。

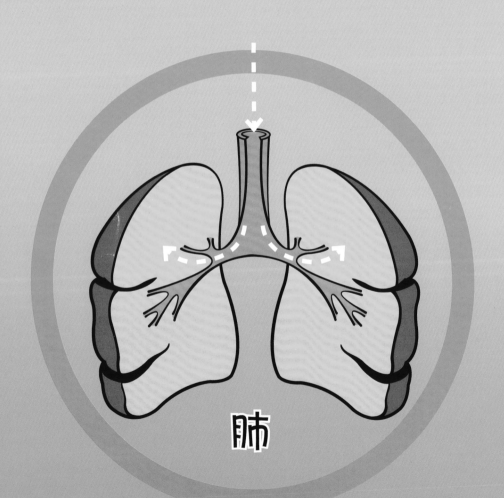

肺

13

如果没有了氧气，绝大部分生物就无法生存。

鱼也需要氧气，但它不是从空气中得到氧气，鱼是用鳃从水中获得氧气。

空气与声音

如果没有空气，你就听不到任何声音。

因为声音是通过空气传播的。

声音在空气中传播时，就像水波纹一样向周围扩散。

有用的空气

你的自行车轮胎是不是曾经瘪过？

知道那是怎么回事吗？

那是因为轮胎里的空气跑掉了。自行车轮胎需要空气，不仅如此，轿车、卡车、公交车等几乎所有的轮胎都需要空气。这样它们才能跑得更快更稳。

泡沫包装膜的小泡泡里同样充满了空气，空气起到了缓冲气垫的作用，它能防止包裹里的物品被损坏。

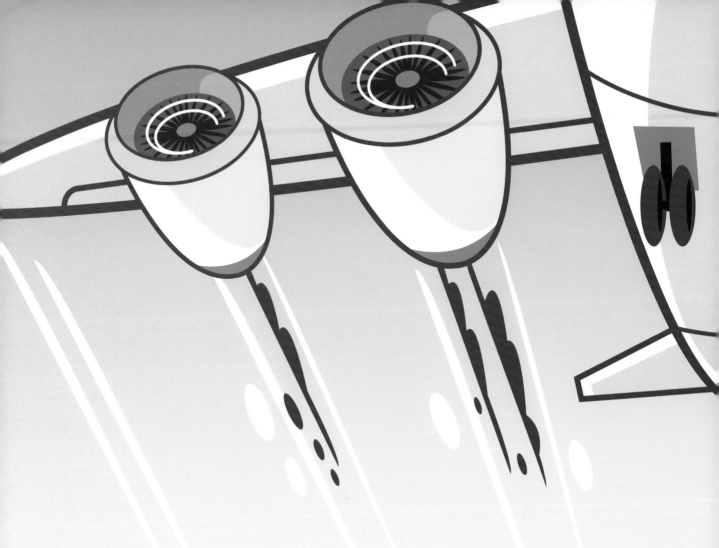

正是因为空气鼓起了帆船上的风帆，才能推动帆船在大海上航行。
正是因为空气支撑了鸟儿们的翅膀，才让它们在天空中飞翔。
空气的力量非常强大，是它让飞机腾空而起。

21

认识大气层

空气就像一床毯子，裹住了我们的地球。这层裹在我们周围的空气就叫大气层。

大气层在保护着我们的地球。

在我们的上空，大气层的厚度大约有35千米，出了大气层，太空里就没有空气了。

是大气层替我们挡住了来自太阳的有害射线，把有用的光线顺利地放行到地面上。

大气层吸收了来自太阳的热量，让地球温暖，让万物生长。

25

保持空气的洁净

地球上的万物都需要空气，但是汽车和工厂排出的废气却污染了空气。

空气污染会让人们生病，也会夺去植物和动物们的生命。

让我们为保护空气做一些事情吧。

你可以用步行代替坐车，还可以节约用电。因此，

离开家门的时候要记得关灯哟。

保护空气，人人有责。

实践活动我来做

观察空气的力量

准备事项：

　　一只气球。
　　几本沉一点的书。

操作步骤：

　　1. 把一只扁扁的、空空的气球放在窗台上或者桌子上靠近边缘的地方，放气球的位置只要适合你用嘴去吹气球就行了。
　　2. 把书摞起来放在气球上，用书的中间部分压在气球正上方，把气球的嘴露出来。
　　3. 给气球吹气，你一边吹，气球一边就变大了。看看那些书怎样了？你是不是惊奇地发现空气也充满力量？

知识趣闻我知道

人类吸入氧气，呼出二氧化碳。植物正好相反，它们吸入二氧化碳，呼出氧气。就这样，人类和植物互相帮助。

当地球刚刚形成时，空气中几乎没有氧气。过了许多年之后，植物呼出了越来越多的氧气。又过了十亿年之后，终于有了足够的氧气供动物和人类生存。

山上的空气比山脚下要少，所以，当人们爬上山的时候，就会发现呼吸困难多了。但是，常年住在山上的人呼吸没有问题，这是因为他们的身体已经适应了空气稀少的生活环境。

潜入海底的潜水员们携带着用来呼吸的氧气罐。这种被称为"水肺"的氧气罐可以让他们在水下呼吸。

莱特兄弟发明了第一架飞机，他们为了制造飞机的机翼，对鸟儿进行了特别研究。

新书推荐

马蒂教你控制坏脾气

最受美国父母喜爱的**情商培养**绘本

北美地区最畅销的儿童绘本故事书

马蒂教你控制坏脾气
马蒂在学校的第一天

马蒂教你控制坏脾气
马蒂和教室中的宠物

马蒂教你控制坏脾气
马蒂去图书馆

马蒂教你控制坏脾气
马蒂的旷野旅行

马蒂教你控制坏脾气
马蒂的午餐

马蒂教你控制坏脾气
马蒂的足球比赛

马蒂教你控制坏脾气
马蒂和万圣节大游行

马蒂教你控制坏脾气
马蒂和威猛童子军

马蒂教你控制坏脾气
马蒂在下雪天

马蒂教你控制坏脾气
马蒂的艺术品

马蒂教你控制坏脾气
马蒂的体育课

马蒂教你控制坏脾气
马蒂的玫瑰节